Balade à *Aix*-en-Provence

Photographies : Christian CRÈS

EDITIONS CRÈS

COLLECTION
Le Goéland

LIVANDI

Dominée par la montagne Sainte-Victoire, Aix-en-Provence, « Ville d'eau, Ville d'art », cité universitaire au riche passé, berceau de Cézanne, vous invite à découvrir ses trésors. Sous un ciel lumineux, avec ses toits de tuiles roses, la pierre dorée et l'architecture élégante de ses hôtels particuliers, ses fontaines, ses places et ses rues toujours animées, une vie culturelle intense, Aix incite à la flânerie.

La fontaine de la Rotonde, construite sous le second Empire, accueille le visiteur à son arrivée au cœur de la ville. "Eici l'aigo es d'or" :
Ici l'eau est d'or, dit un vieil adage provençal.
Aujourd'hui, les eaux du Verdon alimentent la plupart des très nombreuses fontaines aixoises.

L'Oppidum celto-ligure d'Entremont,
sur les hauteurs de la ville

Nids d'œufs de dinosaures

L'antique cité fortifiée d'Entremont, détruite au IIème siècle av. J.-C., précéda la fondation, par le consul romain Caïus Sextius Calvinus d'*Aquae Sextiae*, « les Eaux de Sextius », par référence à ses sources thermales encore exploitées de nos jours.

Mais, bien avant les hommes, des dinosaures peuplaient le territoire. Plusieurs centaines d'œufs de ces grands quadrupèdes préhistoriques ont été découverts en plein cœur de la ville. Fascinant !

Les toits de la ville et le clocher gothique de Saint-Jean de Malt

Le promeneur pénètre dans la ville par le
cours Mirabeau, qui sépare le quartier
Mazarin, créé au XVIIème siècle, au sud, des
quartiers plus anciens, Villeneuve et
Vieille ville, au nord.
« Cours à carrosses » ouvert au milieu du
XVIIème siècle, bordé de magnifiques
platanes, orné des nobles façades des hôtels
particuliers, animé par les nombreuses
terrasses des cafés, le cours Mirabeau est le
lieu de rencontre favori des aixois.

A l'extrémité du cours Mirabeau se dresse, >
au sommet d'une fontaine, la figure
de pierre du « bon roi René ».
René d'Anjou (1409-1480), comte de
Provence, roi de Sicile et de Naples, se retira
à Aix, entouré d'artistes et de gens de lettres.

Aix possède dans son patrimoine architectural près de cent cinquante hôtels particuliers qui confèrent à la ville son aspect baroque. Façades richement décorées côté rue, jardins dissimulés à l'arrière, portails monumentaux, élégantes ferronneries…, autant d'éléments qui donnent à l'ensemble une unité urbaine exceptionnelle.

Hôtel Maurel de Pontevès

Portail à carrosses et cour de l'hôtel de Caumont, dans le quartier Mazarin

Atlantes soutenant le balcon de l'hôtel Maurel de Pontevès sur le Cours Mirabeau

Salons de l'hôtel d'Olivary, qui appartient à la même famille depuis deux cents ans

C'est un véritable plaisir des yeux de parcourir les rues à angle droit du quartier Mazarin, conçu par l'archevêque Mazarin, frère du Cardinal, pour les parlementaires et les grands bourgeois de l'époque. Chaque hôtel, qu'il soit du XVIIème ou du XVIIIème siècle, est digne d'intérêt. Les intérieurs présentent souvent des salons en enfilade aux décors soignés, rehaussés de gypseries, et de beaux escaliers ornés de rampes ouvragées.

La rue du 4 Septembre conduit jusqu'à une adorable place occupée en son centre par la fontaine des Quatre Dauphins. On aperçoit en fond l'hôtel de Boisgelin.

Hôtels particuliers, détails de portes
Le décor des portes compte dans l'apparence que voulait donner le propriétaire de sa demeure.
Qu'ils soient sobres ou recherchés, les motifs sont toujours sculptés avec raffinement.

La rue Cardinale nous emmène jusqu'à l'église Saint-Jean de Malte.
De style gothique provençal, elle abritait jadis les sépultures des comtes de Provence.

Le Palais Monclar, qui abrite la Cour d'Appel, a été construit à la fin du XXème siècle sur le site de l'ancienne Prison dont l'enceinte extérieure a été conservée.

*< La fontaine des Prêcheurs
et l'église de la Madeleine*

*Honoré Gabriel Riqueti, comte de >
Mirabeau, s'imposa par son
éloquence. L'une de ses
apostrophes est restée célèbre :
« Nous sommes ici par la volonté
du peuple et nous n'en sortirons
que par la force des baïonnettes ! »*

Pour aller du quartier Mazarin à celui de Villeneuve, empruntez le charmant passage Agard qui débouche sur la place du palais de Justice, lieu très animé de la ville avec la place des Prêcheurs voisine. Des marchés s'y tiennent plusieurs fois par semaine. Dans la salle des Pas-Perdus du palais de Justice, trône la statue du célèbre tribun révolutionnaire Mirabeau qui fut la voix du tiers état aixois.

Gagnons à présent la place d'Albertas, véritable petit joyau architectural, et continuons notre balade, en passant par la place Richelme et la Halle aux grains pour parvenir à l'Hôtel de Ville et au beffroi qui en ferme la place. Nous voici donc dans la « Vieille ville », composée de la cité comtale et du bourg Saint-Sauveur. Ce quartier nous offre tout un ensemble de rues souvent piétonnes et très commerçantes. A la belle saison, les animations musicales sont fréquentes au coin des rues ou sur les places.

La fontaine et la place d'Albertas

Lieu touristique incontournable de la cité comtale, la place d'Albertas, ouverte au milieu du XVIIIᵉᵐᵉ siècle, avec son harmonieuse ordonnance d'inspiration parisienne, est un véritable décor de théâtre.

L'Ancienne Halle aux grains
Ce bâtiment remarquable est orné d'un spectaculaire fronton sculpté par Chastel dans l'esprit baroque, représentant sous une forme allégorique le Rhône et la Durance entourés des richesses de la terre.

A Aix, il y a autant de marchés que de jours
de la semaine… Témoins d'un patrimoine gastronomique
ensoleillé, ils animent la ville de couleurs et de sons.
Sous les platanes de la place Richelme, dite aussi
« Place aux Herbes », ce sont les producteurs locaux
qui s'installent, telle la marchande d'œufs.

< *L'Hôtel de Ville*
 *Conçu dans la seconde moitié du XVIIème siècle
 par l'architecte Pierre Pavillon, décoré par les
 sculpteurs Rambot et Fossé, cet édifice officiel
 semble inspiré des palais italiens.
 Sa façade présente tout le répertoire
 décoratif du style baroque.*

La cour de l'Hôtel de Ville

*Une superbe grille en fer forgé, surmontée
d'un large arc en anse de panier,
ferme l'accès à la cour intérieure de la
Mairie. On aperçoit le départ de
l'escalier à double révolution qui conduit
à la salle des Etats. Tout ici a été conçu
pour magnifier le pouvoir municipal.*

Pour atteindre le bourg Saint-Sauveur, il faut passer sous la Tour de l'Horloge, ancien beffroi de la ville et symbole du pouvoir communal.

< *Tour de l'Horloge : l'horloge astronomique*

Du cadran marquant les heures, les jours et les phases de la lune, il ne reste plus aujourd'hui que quatre statues de bois censées figurer les saisons.

Oratoires
Aix compte près d'une centaine d'oratoires, la plupart du temps à l'angle des façades. Ils abritent de façon dominante des « Vierges à l'enfant », souvent mises en place au moment des épidémies de peste ou de choléra.

Nous voici dans le bourg Saint-Sauveur qui
occupe l'emplacement
de la ville romaine impériale et garde les
traces d'un passé médiéval.
La rue Gaston de Saporta, typique des
vieilles rues d'Aix,
abrite elle aussi de superbes hôtels
particuliers, tel l'hôtel de Châteaurenard.
En la remontant, nous arrivons, juste avant
la cathédrale, à la place de l'Archevêché,
bâtiment qui abrite le Musée des
Tapisseries mais aussi, et surtout,
sert d'écrin au Festival International
d'Art Lyrique mondialement connu.

< *Escalier de l'hôtel de Châteaurenard*

*Les admirables peintures murales
en trompe-l'œil valurent à son auteur,
Jean Daret, le titre de « peintre de Sa Majesté ».*

Fête de la Musique, place de l'Archevêché

Tout au long du mois de juin, « Musique dans la rue » anime places et carrefours. En toile de fond : la belle porte Régence attribuée au sculpteur Toro.

Les toits de la vieille ville vus depuis le clocher de la cathédrale

La cathédrale Saint-Sauveur

Edifiée selon la légende sur un temple d'Apollon, la cathédrale, sans cesse transformée au cours des siècles, présente une grande variété architecturale qui va du roman au gothique et au baroque. Elle comporte, outre ses trois nefs et son clocher octogonal, un baptistère et un cloître du XIIème siècle. Elle abrite également un chef-d'œuvre de la peinture française : le triptyque du « Buisson Ardent », peint vers 1476 pour le roi René par Nicolas Froment.

Vantaux du portail de la cathédrale

Sculptés en cœur de noyer par Jean Guiramand au début du XVIème siècle, les personnages
représentent les prophètes et les sibylles, au milieu d'un riche décor Renaissance.
Ces vantaux sont ouverts à heures fixes pour le bonheur des visiteurs.

Cloître Saint-Sauveur, détails

Cloître Saint-Sauveur (fin XIIème siècle)

*Avec ses dimensions réduites et ses galeries charpentées,
le cloître est empreint d'un charme indéniable.*

Pavillon de Vendôme, détails de la façade.

*Les deux puissants atlantes baroques, sculptés
par Rambot, dégagent une étonnante force d'expression.*

*Un charmant jet d'eau
anime le bassin du Pavillon
de Vendôme*

Sortons maintenant de la Vieille ville pour découvrir un des fleurons du patrimoine aixois : le Pavillon de Vendôme. Précédé d'un jardin à la française, à la géométrie simple et puissante, il fut édifié dans la seconde moitié du XVIIème siècle sur l'ordre de Louis de Mercoeur, duc de Vendôme et petit-fils d'Henri IV, et modifié au XVIIIème siècle par le peintre Van Loo qui en était devenu propriétaire.

Décors sculptés

Les architectes et les sculpteurs aixois avaient le souci du décor : mascarons agrémentant les façades, figures expressives ornant les fontaines… font le charme des monuments aixois.

En plus de son patrimoine historique, Aix a encore bien d'autres atouts culturels : outre son Université, ses manifestations musicales et chorégraphiques, ses musées et fondations, sa Cité du Livre, elle attire aussi de nombreux touristes avec son Centre des Congrès et un Casino récemment reconstruit à l'entrée sud de la ville.

La Cité du Livre >

Signalée par des livres géants dressés vers le ciel, elle occupe une ancienne manufacture réhabilitée. Elle abrite la bibliothèque Méjanes, la vidéothèque d'Art Lyrique et la fondation Saint-John Perse.

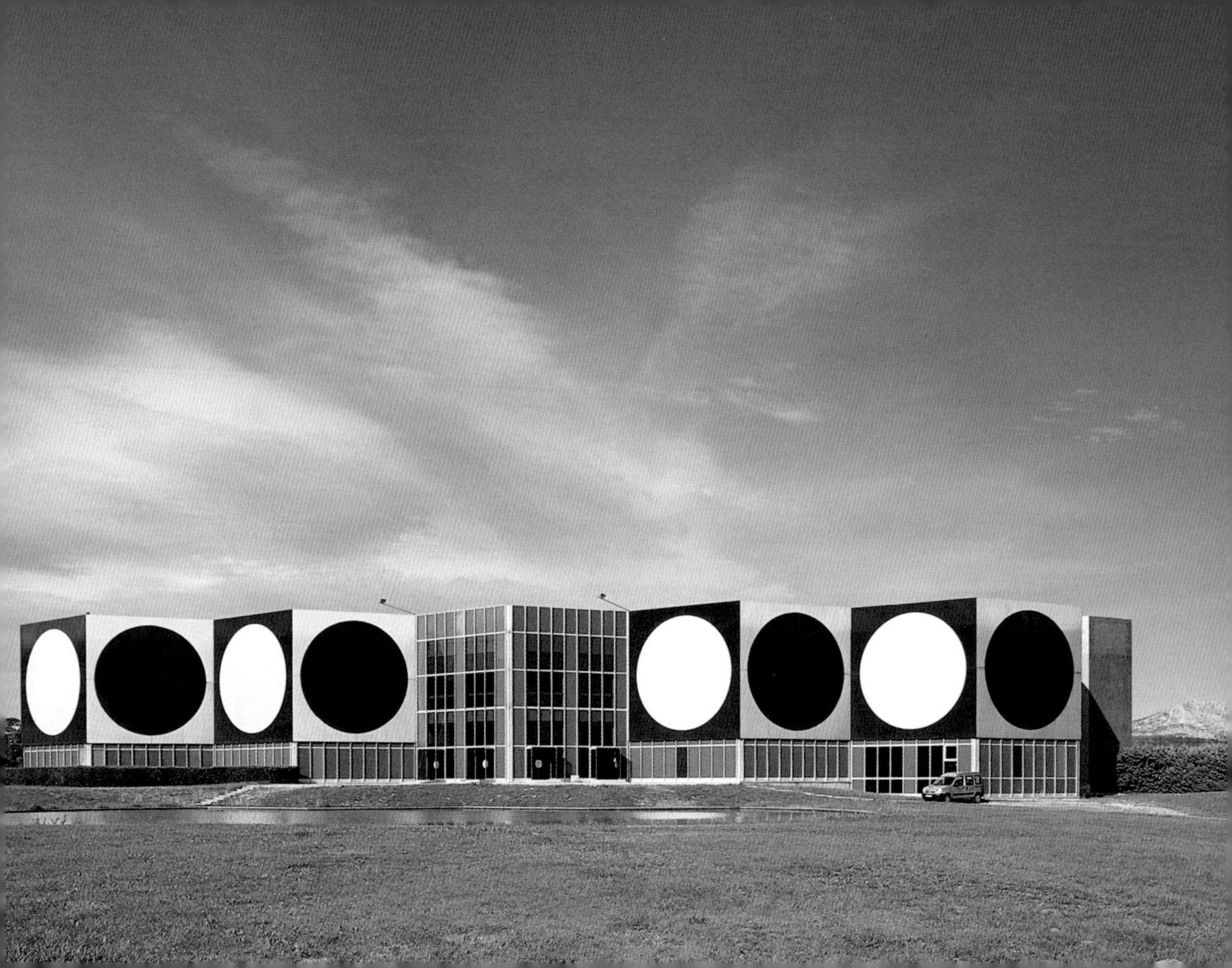

< *Fondation Vasarely*
  L'alternance de ronds et de carrés, blancs ou noirs, crée un effet cinétique.
  La fondation, à l'initiative du peintre Victor Vasarely, a pour but
  de promouvoir l'intégration de l'art dans l'architecture.

Le "Pasino", outre sa vocation
de Salle de Jeux, accueille
aussi des restaurants,
des expositions et des spectacles.

Le Centre des Congrès, nouvel espace prestigieux, complété par
l'ancienne Chapelle des Pénitents Blancs, permet à la ville de
recevoir d'importantes manifestations.

Balade au pays de Cézanne

La vie de Paul Cézanne est étroitement
liée à la ville d'Aix-en-Provence
qui le vit naître en 1839.
Si vous voulez mettre vos pas dans ceux de cet
immense artiste, suivez l'itinéraire proposé par
l'Office de Tourisme qui propose plusieurs
circuits dans la ville et aux alentours.
Ainsi de la maison familiale de Jas de Bouffan
en passant par les lieux fréquentés pendant
l'enfance et la jeunesse du peintre,
ces chemins vous conduiront dans la campagne
aixoise, au Tholonet, dans les carrières de
Bibémus, sur les bords de l'Arc...,
avec toujours, en toile de fond, la montagne
Sainte-Victoire qui l'inspira tant.

< *Statue de Paul Cézanne*

*Œuvre en bronze commandée au sculpteur
Gabriel Sterk pour la commémoration du
centenaire de la mort de Cézanne en 2006.*

Jas de Bouffan

Le Jas (bergerie en provençal) est le lieu des souvenirs de jeunesse de Cézanne.
Il en avait décoré certaines pièces et il y a peint de nombreuses toiles.

A la sortie du Tholonet, le « Moulin de Cézanne »
fait partie des lieux où le peintre aimait
venir planter son chevalet.

Cabanon de Bibémus
Cézanne avait loué ce cabanon pour travailler à des
paysages et sur le motif des carrières qui ont été un de
ses sujets d'inspiration.

Par beau temps, Cézanne partait peindre « sur le motif ».
En septembre 1906, peu avant sa mort, il écrivait à son fils :
« Je vais au paysage tous les jours, les motifs sont beaux et je passe ainsi mes jours
plus agréablement qu'autre part ». Mais par temps de pluie ou de grand froid,
il restait dans son atelier des Lauves, qu'il avait aménagé sur les hauteurs de la ville, lieu
de recueillement et de silence, au milieu d'objets familiers qui sont
devenus les modèles de ses natures mortes.

Dans l'atelier des Lauves

C'est ici que l'on ressent avec le plus d'intensité la présence du peintre.

Le portail Cézanne

*C'est là, non loin de son atelier, que Cézanne s'installait souvent pour peindre la Sainte-Victoire,
montagne mythique qui apparaît comme en majesté entre les piliers.*

Aix-en-Provence, dominated by the Sainte-Victoire Mountain, is known as the "City of water and of the arts" and is the birthplace of Paul Cézanne; it is a university city with a rich past which harbours inviting treasures awaiting discovery.

The pink-tiled roofs, golden stones and elegant architecture of its town houses ; the fountains, squares, the constantly animated streets and an intense cultural life are an enticement to wander around Aix under its luminous sky.

The antique fortified city of Entremont, destroyed during the 2nd century B.C., was already established on the site before *Aquae Sextiae*, "the Waters of Sextius", was founded here by the Roman Consul Caïus Sextius Calvinus ; a reference to the thermal springs still in use today.

But, long before humans, dinosaurs used to populate the area. Many hundreds of eggs of these large prehistoric quadrupeds were discovered in the heart of the city. How fascinating !

On entering the city on foot, there is first the Cours Mirabeau, which separates the Mazarin quarter, founded in the 17th century south of the city, from the older quarters of Villeneuve and the Old City (Vieille Ville) in the north.

The Cours Mirabeau, this "courtyard for coaches" which was opened in the middle of the 17th century, is lined with magnificent plane trees and adorned with the noble façades of town houses; it is brought to life by the terraces of numerous cafés, and is the favourite meeting place of the inhabitants of Aix.

The architectural heritage of Aix includes almost one hundred and fifty town houses which give the city its baroque appearance.
Richly decorated façades on the street side, hidden gardens at the back, monumental gates and elegant wrought ironwork are the elements responsible for the exceptional urban unity of the city.

It is a great visual pleasure to walk along all the right-angled streets of the Mazarin quarter which was designed by the Archbishop Mazarin, the brother of the Cardinal, for the parliamentarians and the upper classes of the time.

Each town house, whether it dates from the 17th or the 18th century is individually interesting. Their interiors often boast a row of finely decorated living rooms, enhanced by decorative plasterwork and beautiful staircases adorned with elaborate handrails.

L'établissement thermal

To go from the Mazarin quarter to the Villeneuve quarter, take the charming Agard Passage leading to the square in front of the Law Courts, which, together with the nearby Preachers Square (Place des Prêcheurs), constitutes a very animated part of the city. Markets are held in the square several times a week. Inside the Law Courts, the statue of the famous revolutionary speaker Mirabeau, who was the voice of the Third Estate of Aix, stands prominently in the Room of Lost Steps (Salle des Pas Perdus).

Now let us go to the Albertas Square (Place d'Albertas), a true architectural gem, and let us keep on walking, through the Richelme Square and the Corn Exchange (Halle aux Grains) to the Town Hall and the belfry on the edge of the Town Hall Square. We are now in the Old City (Vieille Ville), which includes the Earl's City and the Town of Saint-Sauveur. This quarter offers a collection of streets, many of them pedestrian, with lots of shops. In summer, there are many musical street shows at the corners of the streets and squares.

Terrasse de brasserie sur le cours Mirabeau

Griffon dans le parc du Jas de Bouffan

To reach the Town of Saint-Sauveur, you must walk under the Clock Tower ; the old city belfry and a symbol of municipal power. We are now in the Town of Saint-Sauveur which occupies the site of the imperial Roman city and which has preserved the traces of its medieval past.

The Gaston de Saporta Street , typical of the old streets of Aix, also accomodates many superb town houses, such as the Châteaurenard town house.

By walking up the street, just before the Cathedral, on the Archbishopric Square (place de l'Archevêché) you will reach the building which houses the Tapestry Museum, but which also and most notably, provides the setting for the internationally famous Lyrical Art Festival.

Let us now leave the Old City to discover one of the jewel's of the heritage of Aix : the Vendôme Pavilion.

Set behind a French-style garden of simple and powerful geometric lines, the Pavilion was erected during the second half of the 17th century by order of Louis de Mercoeur, Duke of Vendôme and grandson of Henry IV. The Pavilion was modified during the 18th century by the painter Van Loo who had become the owner.

In addition to its historical heritage, Aix has many other cultural assets: besides the University, the music and dance events that it hosts, the museums and foundations and the City of Books (Cité du Livre), many tourists are also attracted to the Convention Centre (Centre des Congrès) and the recently rebuilt Casino at the south entrance of the City.

La montagne Sainte-Victoire, si souvent peinte par Cézanne

Stroll in the country of Cézanne

The life of Paul Cézanne is intrinsically associated with the city of Aix-en-Provence where he was born in 1839.

If you wish to tread in the footsteps of this outstanding artist, follow the itinerary suggested by the Tourist Office, which proposes several circuits in and around the city.

Besides his family home Jas de Bouffan and all the sites he used to visit during his childhood and youth, these paths will lead you into the countryside of Aix, to Tholonet, the Bibémus quarries and the banks of the Arc river, with, always as a backdrop, the Sainte-Victoire Mountain which inspired him so much.

When the weather was good, Cézanne used to go and paint from life. In September 1906, shortly before his death, he wrote to his son: "I go in search of landscapes everyday, the subjects are beautiful and so I spend my days much more pleasantly than I would anywhere else".

But when it was raining or when it was very cold, he stayed in his Lauves workshop which he had set up high in the city, in a place of contemplation and silence, in the middle of familiar objects which became the models for his still lives.

Pavillon du Roi René

La collection Le Goéland :

La Provence en peinture - Balade à Marseille - Calanques, de Marseille à Cassis
300 jours, 300 voies dans les calanques - Balade sur la Côte Bleue - Balade à Cassis
Balade en Corse - Balade en Provence - Balade à Aix-en-Provence
Le Var entre terre et mer - La Bretagne du littoral
Balade au coeur de Paris - Balade en Alsace.

Photos
Christian Crès

Direction artistique et réalisation graphique
Flavie Ferrari

Documentation
Catherine Lavalette-Crès

Traduction en anglais
Beth Varley

Edition/Conception

Editions CRÈS
Village d'Entreprises de Saint Henri 2 - Lot n°3 - 13466 Marseille Cedex 16
Tel : 33 (0)4 91 46 00 56 - Fax : 33 (0)4 91 46 13 41
e-mail : romain.cres@livandi.com

Imprimé en Europe

Diffusion / Distribution
LIVANDI
Village d'Entreprises de Saint Henri 2 - Lot n°3 - 13466 Marseille Cedex 16
Tel : 33 (0)4 91 46 00 56 - Fax : 33 (0)4 91 46 13 41

© Editions CRÈS - Provence - Tous droits réservés
Dépôt légal : mars 2005
ISBN 2-7537-0000-1 - EAN (GENCOD) : 9782753700000